L'AMOUR USINAIRE

Les Écrits des Forges
ont été cofondés par Gatien Lapointe
en 1971 avec la collaboration de
l'Université du Québec à Trois-Rivières.

Québec ::

Le Conseil des Arts | The Canada Council
du Canada | for the Arts

Canadä"

La SODEC (Société
de développement des
entreprises
culturelles) et le
Conseil des Arts du
Canada ont aidé à la
publication de cet
ouvrage.

*« Nous reconnaissons l'aide financière du gouvernement
du Canada par l'entremise du Programme d'Aide au
Développement de l'Industrie de l'Édition (PADIÉ)
pour nos activités d'édition ».*

En couverture : Alain Fleurent, *La grande chaudière surréaliste*, 2002

Photo de l'auteur : Alain Fleurent

Distribution au Québec

En librairie :
Diffusion Prologue
1650, boul. Lionel Bertrand, Boisbriand, J7E 4H4
Téléphone: (514) 434-0306 / 1-800-363-2864
Télécopieur: (514) 434-2627 / 1-800-361-8088

Autres :
Diffusion Collective Radisson
1497, Laviolette, C.P. 335
Trois-Rivières, G9A 5G4
Téléphone : (819) 379-9813 — Télécopieur : (819) 376-0774
Courrier électronique : ecrits.desforges@aiqnet.com

Distribution en Europe

Écrits des Forges
6, avenue Édouard Vaillant
93500, Pantin, France
Téléphone : 01 49 42 99 11 — Télécopieur : 01 49 42 99 68
courrier électronique : ecrits.desforges@aiqnet.com

ISBN
Écrits des Forges : 2 - 89046 - 678 - 7

Dépôt légal / Deuxième trimestre 2002
BNQ ET BNC

PIERRE LABRIE

L'AMOUR USINAIRE

Écrits des Forges
C.P. 335, Trois-Rivières, Québec, Canada G9A 5G4

DU MÊME AUTEUR

À tout hasard, recueil de poèmes, manifeste, avec Carl Lacharité et la participation de l'artiste Alain Fleurent, Éditions d'art Le Sabord, collection excentriq, 2000.

Voyage dans chacune des Cellules, poésie, coffret avec des œuvres de Steve Riquier. Éditions Cobalt / Association Presse Papier, collection Asymptomatique, 2001

Cage verte, poésie, avec des œuvres de l'auteur. Éditions Cobalt, collection explosante/fixe, numéro 5, 2001

Quelques textes de *L'amour usinaire* ont déjà été publiés, sous une forme parfois différente, dans les revues *Estuaire*, *L'Arbre à paroles* (Belgique) et dans le collectif *Premiers mots de l'an 2000* (Les Glanures, 2000).

à celle qui précipite le jour
dans la conception du mien

juste une petite mort

je suis mort d'une enfance
dans le coin d'une boîte de carton
pour jouer
rire

comme une preuve de légèreté
courir plus vite
le tic-tac de ma montre Mickey
cassé sur un mur d'adolescence

je courais
les visions de ma mère
ma tête en haut des champs
l'eau sur mon front
je savais
courir m'empêcherait de voler
la certitude dans chaque petite main
comme une prière laissée sur la table

et un jour j'ai volé
la vie s'est défaite sur la pierre
poussières inattendues
dans les mains de ma mère

pourtant j'ai juré
j'ai même craché par terre
pour qu'elle ne meure pas

mais je suis quand même mort
où il n'y a plus de jeu

1. l'amour commence par la naissance

je sais
tout près de ta main
il y a des enfants

des madones
au pied desquelles tu ne peux plus prier

des marelles
où tu t'es noyée   juste là
avec tes maternités

je sais
tes berceuses
que tu ne chanteras jamais
et à ne rien te reprocher
nous endormirons
ensemble
nos tabous   nos maux
dans un regard
grand comme des lacs

2. au pied de tes draps de courbes

levée
dans mes crevasses
ma peau dure de tes plaines malades
mes instincts
mes jeux
où ton corps se soude
à la chair de tous nos mots

ce souffle sur tes cuisses
ce pain sur tes seins
ces nuages sentinelles

connivences d'un moment
vers l'extase en appel

tes souvenirs imprimés
sur l'écran des draps
la courbe de la mort
où nous avons failli
nous échouer

3. je sais mais

ne dis rien
je sais
la rivière s'écroule sous tes mains
et les jeux te sont différents
où les vagues te ramenaient ta mère
quand les tremblements de tes membres
se font des absents

je sais
tu as peur des regards
sur ton visage d'oiseau blessé

je sais mais
laisse tes pluies tomber
à tes pieds de petite fille

sois la première guerre
à ne pas faire de victimes

4. des maux qui passent inaperçus

les ratures
tes mots
à s'en briser la gorge
trop durs pour tes muscles
fragiles à l'exposition d'une mort
d'un amour
savoir qu'il faut risquer
la rage des mondes
les miroirs
où me prendre à distance
comme si j'étais né
pour gratter le sable sur ton ventre

mais tu t'acharnes
de nombreux enfants
dans tes jupons de chair

puis tu oublies le revers des jours
et mes bras ma tête estampillés sur tes reins

5. j'embrasserai tes mains

regarde cette montagne sur ta poitrine
arrivé en haut je te promets
j'embrasserai tes mains

pour y mettre le drapeau de l'enfance
je creuserai avec mes mains
et mes larmes s'il le faut
laisse-moi juste écrire je t'aime
pour protéger notre complot

et les lunettes de solitude
que l'on s'était tatouées hier
serviront d'alibi

6. ça tue les femmes malades

puis une dépendance explose sur l'épaule
la main vidée
le poids transformerait l'univers
avec des éclats de vitre sur les lèvres
une rougeur de sel tracerait le contour du ventre
là où nous jouons aux aveugles
les limites sont de la naissance
qui tue les femmes malades
les risques sont contrôlés
par la calculatrice de nos corps
et la fusion frôle l'impossible que l'on dit
l'orgasme se fend le crâne
et les sexes reprennent leurs cages

7. notre imposture

nous sommes l'imposture
qui reste des batailles
seuls
les fragments de bras juxtaposés
la résurrection de tes pieds dans la boue de l'œil
je ne suis plus sur toi
demain nos squelettes sortiront du lit
et mes paupières cadenas

j'irai dehors à l'est
et toi debout à l'ouest
entre les fatales

8. abandonné dans les langes

la dépêche d'un seul jour en tête
un tour du monde à ramper
grugeant l'aisance des planchers
les lieux de départs
contre les arrivées

où mes images trompées
resteront prises dans l'hiver
à ce rythme
on m'abandonnera dans les langes
les landaus extasiés

le Beyrouth des jeux
moins libre
que les carcasses de ton souffle sur ma peau

9. battus par le risque

accrochés au schisme de la solitude
nos jeux éparpillés
nos barques d'étoiles instables
tes formes ton sourire ont dévasté
les sous-bois marécages et maisons

mes rêves sont des traîtres maquillés pour la guerre

10. trompé par la pluie

trop de cœurs
motorisés par les sages plaies soldats
les mêmes qui crament
près des structures osseuses
sur l'autre versant des nuages
ceux qu'on ne voit pas
lorsqu'on est à genoux
dans la cassure

seule la marque est trompée par la pluie

à la seconde où j'écris ces mots je t'aime encore

11. faim néfaste

nous l'avions dit
la faim néfaste du manque
cherche la percheuse sans souffle
elle se noie calme
tout comme l'habitude est austère
ses doigts gelés sont restés
accrochés au tableau de bord
sans le besoin pressant
d'être la victime

la faim néfaste de la mort
ne se ravale pas d'elle-même
il faut la lui enfoncer à deux mains
et dire j'ai gagné

12. je ne suis pas le chevalier

des anges exterminés
armés de tombeaux
mes poumons
et peut-être des muscles de nylon

j'ai fait le geste   sans les prières
on n'allait pas déposer d'épée sur mon épaule
trop faible
mes mains ont retenu le plancher
désunies
les articulations ont chassé
tout ce qui leur appartenait

restent les nuits malades
où l'air manque son coup de semonce

13. la mort sur la chaîne

sous la hargne de tes pieds
ton regard épuise le mien
j'ai pleuré à refaire le ciel en eau

14. dernier cycle

je vivais entre tes jambes
et les étendues du vaste
je suis parti
comme tu te refermais
j'avais avoué la menace

nous sommes morts sur les briques incendiées
disloqués
nous avons bravé les cendres
rêves obtenus des défaillances de la chair
nous avons pris le risque de tes fréquents sourires
et j'ai balayé les jeux
une blessure dans le revers de la paume

j'habitais rue Sylvain
et tes jambes étaient des murs

15. exit

les poings dans tes yeux fermés
remplissent les espaces incertains
entre mes côtes
et la plaie courtisane dans mon sommeil
me dit que tu as aussi pleuré
toutes les contagions et les forêts d'équerres

mais j'ai le réflexe de l'homme
la vengeance
se gavait de mes spasmes de rétines

absences

1

on recherche des seins des bras où se tuer
où finir enlacé avec des régimes de nuit
des strates à flétrir
des désirs de marasmes que l'on inflige
j'ai déjà aimé quand les coups butaient ma peur
quand des justices plein les mains
donnaient à voir les rues pleines
des enfants assis comme étourdis
par l'air des autos
puis j'ai grandi avec des rêves qui accrochent
et des silences sans le doigt devant
des cœurs à découvert

2

et devant
tes cheveux tes yeux éclipsaient chaque pas
puis je   les yeux lourds
puis mes détours dans l'ivoire de mes poches vides
j'ai engourdi mes jambes
pour ne jamais te rattraper
pour que les sourires survivent
les structures en symbiose
et les jours à combattre mes réveils
sans chaleur
sans résistance à la sortie du matelas

3

puis chaque soir
la fuite a rejoint les arbres de pendaisons
avec l'automne et les branches au sol
cette fois-ci tu me suivais
puis plus jamais

il y avait des souvenirs qui faisaient que notre
espace
circulaire
laissait nos cages suspendues sans ponts
la sagesse des décisions au précipice
et les remontrances à coups de poings

4

puis
des corps tombaient sans attache
autre qu'une main sur l'épaule
qu'une respiration sur l'épaule
qu'un visage sur l'épaule les yeux fermés
puis plus jamais je
comme une entrave à nos gestes
puis plus jamais toi
plus vraiment

5

une sieste toujours avec des ceintures placardées
un lit deux étages sans ascenseur
pour tous les kilomètres à se tuer
sans remords parce que sans actions

assis sur les années que je remise
en images condensées
pour protéger ma respiration
de la négation du vrai vertige
j'ai dit je t'aime je ne serai plus là

broché quelque part dans une sphère
avec l'absence brochée à mes pieds
mais les mains libres

puis ça révolte l'enfer

dans l'éblouissement d'une ombre
au midi du sommeil

PAUL-MARIE LAPOINTE

1

nœuds d'orange
dans ma poche de chemise
Dieu a fait que les mains
brandissent des sacs de papier crevés
l'éveil creuse et grouille
des ailes de sommeils malades
ça dure depuis plusieurs déjeuners
avec des pommes en cubes
et le sommet aveugle en pâture
puis les étranges jettent leurs mégots
sur ma silhouette de craie

ça ride sur mes mains
et les carnivores   ma peur
ça mutile dans ma chambre avec toi
le brouillard à la sortie de ta bouche
et tu as dormi dans un passage étroit
dans l'exit
maintenant ta girouette a le pied cassé
et tu dis que les remords
sont des seringues de trois heures

2

notre maison pleine s'accroche à ta bouche
pour que la mort soit promise à nos distances
et le désordre vomit dans le coin de la chambre
je hais la morgue de nos sueurs
et le lit qui te revient

mon courage s'atrophie
lorsque tu ne cries plus
mon amour joue le girofle
que tu sors de ton assiette
le nocturne a un mollet de boucherie
vite vendu
et la place du marché
ne regarde plus mes fabriques d'angoisses
puis   notre dernier film
raconte la guerre
avec des oreilles percées d'obus

3

des rafales de chameaux revendiquaient le salon
et tu jouais au piano
près d'une boutique
qui a congédié ses antiquaires

nous avons fait l'amour
avec un mur devant le fleuve et la route Ouest

mon personnage de papier crucifié
sur la langue bleue d'un chien
des carrés de sable mitraillent à mon cou
et tu nommes
un autre nom que nous
notre mappemonde
se tient sur un bras la tête en sang

ta girouette a le pied cassé et tu dis robe levée
et des yeux de capelans partout dans l'anse
ne resteront pas longtemps dans le coin
ils savent revenir avec des bancs
et se rasseoir
pour être des langues pendues

4

nos caresses de sursauts
ça crame les autoroutes
sans les phares à brume
avec des enfants d'entrelacs

un danger des mers d'attraction
des trafics naïfs se dirigent une cisaille près
la béance le rigide
et ton chantier catacombes
comme une gueule déserte sans nom
puis tu bavardes les traverses entre les rivières

5

un sommeil chiffonne
et les oiseaux d'anarchie
consomment nos doigts
les partout de nos corps
composent des vacarmes de pollen
sans qu'on éternue

nous ne croyons plus au silence repeint
qui dévale les frontières
comme des brindilles
assassinent les villages de petites enfances
et la chaux sur les fleurs que je t'ai offertes

petite fille tu pensais
comme des cousines agitées
tu courais près de la mer
et maintenant
tu trébuches
sans cailloux d'espiègle sous les pieds

6

et ce bardeau sur notre domaine
autant que le mutisme
puis tous les escaliers
jusqu'aux pétrifiés qui assomment
quelques scandales
sous mes deuils de berges rescapées
où les amphibiens
de la cuisine jaune que tu disais
règlent les chacun-sa-place-ici

et si jamais nos plants
pleins de mites
survivent aux malgré-nous
endormez-vous tous
bandes d'enfants sur les murs

nos chaises courbent
où le piège est l'argile de nos rêves
mais sans la chaleur mais
sans la chaleur la cuite
faible et le vase tombe de tes mains
l'ancolie maquille nos poings de soustraction
où l'écorce reste avide
de nous servir des tortures

7

ma sublime amnésique
casse les pierres d'antichambre
et l'obscur d'une chambre d'hôtel s'émousse
vestige tellurique et scaphandre

je guette un fac-similé
et les émanations de tes lèvres
l'épuisement   un prélart
de lenteur de camomille
tes machines m'ont étendu sur la rue
je voulais couler
avec les ronge-paupières à mes talons
ma fouille jusqu'au défenestré
et l'échancrure de ta langue

mais l'esquif dans les bras connut la force
de ma voix vers ton départ
et tes genoux écartés
les coudes retenant la tête
mes larmes à la poursuite de tes cheveux

8

je feuillette les photos que tu n'as pas enlevées
et ça brouille nos camarades ça envahit
mes caractères mes assimilés
avec des calfeutrages
pendant que chez le voisin
des monologues font la drave d'escogriffes

mon seul recours
escargot cadastre du vertical
et les enjambées
récidivent des têtes chercheuses
où je retrouve la pièce
qui vacille dans les déchirures
et le cœur de cravate
avec des nœuds d'orange
qui se prennent une pause
et respirent d'autres que nous
avec des midis épargnés

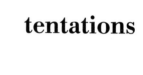

tentations

jamais je n'ai fermé les yeux
malgré les vertiges sucrés des euphories

GASTON MIRON

1

tentations

à la sueur de la mort
nous avons ajouté nos jours
les plus calmes
sans la matraque des mots
nous avons avoué
tous nos silences à hurler des cathédrales
l'écho plantant ses clous pour demain
les sommeils savaient nous éloigner
des routes sans essence
des cafards manchots
sans les yeux pour dire ce qui est laid
nous avions le sourire tiré d'un film

2

nous étions tentés par le mensonge
mais nos visages versaient des larmes
brûlant tous nos vêtements d'adultère
en mise de côté
tentations
la foulure du sexe
dans l'abandon du jour
de plus belles couleurs qu'hier
avec nous deux enlacés
nous apprenions nos trajets
pour abattre la turbulence
de nos vols
masqués d'épaves
aux bermudes de nos mémoires

3

aujourd'hui
les migrations équivoques de nos ombres
avec quatre horizons un plancher
et le toit qui sert d'extase à nos silences
meurtrissures recouvrant les murs de nos yeux
des étoiles jubilent à nous savoir ailleurs
comme elles
avec des couteaux pour tracer les constellations
postures unanimes de nos images
nous sommes les esseulés derrière la porte
et dans la coupe de la serrure
il y a ton nom

4

j'ai l'impression de t'entendre
derrière nous
t'entendre tout dire
avec des sourires levés comme des soleils
dire ce que nous étions
la main sur les rideaux entrouverts
le jour courant après sa queue
et tu crois que les gens ont oublié
ce que nous étions
tentations
tu dis qu'il faudrait fuir les rencontres
les yeux le cœur qui triche
et nos armes disparues
parler de nous sans l'accord du doute

5

revenir des différents cercles
de nos anecdotes à distance
la forme idéale de notre œuvre
un homme une femme
et la liberté d'écoper des blessures normales
de nos deux corps
puis servant la luxure de nos absences
le calme peut répertorier nos tempêtes
la tête dehors les yeux fermés
et la senteur d'une femme pieds nus
quelque chose de neuf

qui a dit qu'il n'y avait pas de beaux combats
lorsque nous sommes d'accord

6

je ne déclare aucune guerre
lorsque nous laissons nos traits
au lit ballotté du risque
errant à chaque souffle
agrippant nos signes
la mémoire
domicile travesti de la chair

7

la reliure d'une caresse
des mains
des pieds
la porte retirée de ses ferrures

debout près d'un parcomètre

ce Dieu muet et sourd qui le regarde faire

ALPHONSE PICHÉ

1

ce qui reste trop souvent
la mémoire qui épuise les yeux
les tripes prêtes à bondir
traces d'iris aux cloisons
et ce poème inachevé
sans la batterie du regard

2

la lumière où nous sursautons
à la richesse du sourire
ce que l'on pense de la nourriture séculaire
c'est que les restes nous nourrissent
octaves transposées en couches d'existences
nous ne payerons pas nos dettes
où la vie s'empêche
elle-même
de se voir assise les yeux clairs

des mains offrant l'image
de l'anonyme bafoué

3

j'ai enterré de bonheur l'âme fatiguée
et nos aboiements d'ondes mentales
ont apparenté nos maçonneries charnelles
et ces taches dans les yeux
comme des ornières
qui nous lèguent l'éclipse fauve
d'un pays aux yeux bandés
une main par terre

4

catharsis aux parcelles d'octobre
les mains jointes aux ruelles ponctuées
fléchissantes
nos caresses remontent à la surface
les sourires aussi
rue dissoute de désir de mots décisifs
je ne reconnais plus les paupières plissées
l'amour des lieux nous ignore
arc du sourire foudroyé
lèvres des jours de frontons ouverts
et cet automne qui se calcine

5

et ces dimanches de murmures empaillés
la paume trop large
qui regagne le feutre des doigts
des péchés des seins de mer
des fenêtres de noyades
l'ardeur d'un plus jamais
dans le ventre des tabatières
j'ai l'amour en rouge et vert ici
mon sommeil jappe en kimono
mon horizon ne roule plus pour moi
des cygnes grignotent les remords
à la sueur du jour
et le cheval d'horloge gratte le ciel
de cette lourdeur insatiable de promesses
la pluie édentée
et ces secrets en bois rond qui nous matraquaient

6

le ventre digital de nos liens se prolonge
passe vite ce qui détraque nos gestes inanimés
le mur rêve encore des carpes
pauvres bêtes sur le dos
la maison sablée de cauchemars
puis la mort en vêtements de soie
j'ai des regards ailleurs maintenant
je mange les vasques et soudain les cuisses
de grands navires
crins de fontaines à l'aube
l'herbe tresse les cargaisons au large
et ce soleil de nervure à l'assaut des yeux
puis cette femme qu'on ne voit plus

7

visage amphore du monde
tous les dimanches dans l'herbe
abstraction de la terre paravent d'icônes
la gueule demain enchaînée aux ruines
porte le cri où saisir les matins d'eau morte
rémanence des statues devant l'océan
banquet de femmes rigides sur le quai
tu connaissais pourtant leur existence
tes yeux n'ont vu que le silence
où plongent nos veines immortelles
et ce paysage déchiré d'affrontements
les côtes décharnées

8

chant séculier de pollens de nuages
terre délestée à chaque affrontement vertigineux
aumône du silence
nous étions seuls
seuls
maisons navigantes
aux seules attaches décousues
nous regardions passer le revers des nuques
et cette lune souffrant à perdre haleine
noyée dans ses retranchements

9

nous avions de belles colères
des projets de blasphèmes
le trompe-l'œil est une censure neuve
à la barque aveugle du jour
image où l'émoi s'est évadé
comme un tambour guetteur
il pleuvait des printemps
voilà ma patience n'a plus de monnaie
gestation des neiges à l'écran rêche

où mes jambes éclaboussées sous le vent
j'allais ensemble ailleurs

10

ta main droite inscrit
une vallée contre ma tempe
dans cette chambre couronnée au sortir des plages
splendeur étroite
écoutant la voix d'un corbeau
le silence morne des cloisons garnies
où seulement mon corps se défait
de ses années

vers la soif où trancher le palier du jour
ne redoute pas ceux qui fuient
petite pierre insulaire
tu es loin où l'histoire nous sépare

11

je ne voulais que m'évader
où tout ceci se reporte
où nul n'est coincé dans la mer
où l'icône de la main est un pigment de pastille
où la vie ignore le dérapage des gestes
jamais depuis où le pain des regards en fuite
dans les mares dans les égouts dans les palais
puis j'ai toujours fraudé entre chaque revolver

où je quitte
quelques jours dans les oreilles de plâtre
une eau et le mois de mai
l'herbe dans les paumes l'arme n'apparaît plus

debout près d'un parcomètre
je regarde tes larmes descendre
je ne te reconnais plus dans mes bras
mes remords sur ton épaule
et ta tristesse qui s'enfonce dans mon dos

TABLE